L'ARBRE
À CHAUSSETTES

Données de catalogage avant publication (Canada)

Raimbault, Alain
    L'arbre à chaussettes
    (Collection Plus)
    Pour les enfants de 7 ans et plus.
    ISBN 2-89428-477-2

PS8585.A339A92 2001   jC843'.6   C00-941830-X
PS9585.A339A92 2001
PZ23.R34Ar 2001

L'éditeur a tenu à respecter les particularités linguistiques des auteurs qui viennent de toutes les régions de la francophonie. Cette variété constitue une grande richesse pour la collection.

Directrice de collection : **Françoise Ligier**
Maquette de la couverture : **Marie-France Leroux**
Composition et mise en page : **Lucie Coulombe**

Les Éditions Hurtubise HMH bénéficient du soutien financier
des institutions suivantes pour leurs activités d'édition :
−   Conseil des Arts du Canada ;
−   Gouvernement du Canada par l'entremise du Programme d'aide au
    développement de l'industrie de l'édition (PADIÉ) ;
−   Société de développement des entreprises culturelles au Québec
    (SODEC).

© Copyright 2001
Éditions Hurtubise HMH ltée
Téléphone : (514) 523-1523 • Télécopieur : (514) 523-9969
www.hurtubisehmh.com

Distribution en France
Librairie du Québec/DEQ
Téléphone : 01 43 54 49 02 • Télécopieur : 01 43 54 39 15
Courriel : liquebec@noos.fr

ISBN 2-89428-477-2

Dépôt légal/1er trimestre 2001
Bibliothèque nationale du Québec
Bibliothèque nationale du Canada

Imprimé au Canada

L'ARBRE
À CHAUSSETTES

Alain Raimbault

illustré par
Marc Mongeau

Collection Plus
dirigée par Françoise Ligier

Alain RAIMBAULT habite en Nouvelle-Écosse où il enseigne le français et l'espagnol dans une école francophone.

Il a toujours écrit des poèmes et a publié dans des revues de la poésie et des nouvelles.

Autre roman dans la collection Plus *Herménégilde l'Acadien*.

Marc MONGEAU né à l'Île du Prince-Édouard vit maintenant à la campagne, près de la rivière Yamaska, avec ses quatre enfants : David, Matilde, Rosalie et Arthur.

Il a aussi un cactus prénommé Jean-Guy à qui il enseigne la flûte à bec… Sans grand succès jusqu'ici, avouons-le…

Il a illustré plusieurs albums jeunesse, tel *La dinde aux écrevisses*, dont il a aussi écrit le texte. Il a également dessiné des décors pour des pièces de théâtre de marionnettes géantes : *Jeux de rêves*, d'Henriette Major et l'opéra *Hensel et Gretel* avec le Théâtre sans fils et L'Orchestre Métropolitain. Il a aussi fait un jeu CD-ROM multimédia sur le *Carnaval des animaux* avec l'orchestre I Musici de Montréal.

1

Comme un petit pois vert séché

Tout a commencé à cause de mon anniversaire. Il tombe le trois septembre, toujours à la rentrée des classes. Ce n'est pas de chance. Mais je le célèbre le samedi suivant, quand les copines sont revenues de vacances.

Cette année, je leur ai demandé de me faire un cadeau bien spécial. Ce que je voulais vraiment, c'était qu'elles m'apprennent une chanson amusante que je pourrais me chanter toute seule quand je me sens un peu triste.

Dans la classe, il y a eu une nouvelle élève, Félina. Elle venait du Cameroun. Le Cameroun, c'est en Afrique, là où il n'y a jamais d'hiver et où on peut voir des lions et des zèbres de la fenêtre de sa chambre.

Ça doit faire peur de se réveiller en face d'un lion en liberté. De ma chambre, moi, je ne vois que la fausse église de Grand-Pré, parce que c'est un musée, et le Bassin des Mines qui se vide et qui se remplit à une vitesse pas possible.

— Bonjour, m'a dit Félina, le premier jour. Je croyais qu'il neigeait tout le temps au Canada.

— Ben non. Il fait même si chaud en été, en Nouvelle-Écosse, que parfois il y a des feux de forêts.

— C'est vrai ?

— Eh oui.

Et puis je l'ai invitée à mon anniversaire en souhaitant qu'elle m'apprenne une chanson du Cameroun.

Elle est venue et sa chanson était vraiment amusante. Il fallait juste répéter les paroles :

En barkinorii inde Allaahu
Jom Moyyhere heeriinde
Yo Allaahu juulu*

* Poème peul de Tierno M. Samba Mombeya (1755-1850).

Je ne sais pas ce que cela veut dire, mais c'était la chanson la plus originale de l'année. Dès le lendemain, je la chantais tout le temps et partout : dans le bus de l'école,

à l'école, dans ma chambre, au téléphone ; toute la famille la connaît maintenant. On me disait que j'avais de la chance d'avoir une amie qui m'apprenait des chansons aussi amusantes, et c'est vrai, j'avais de la chance. En plus, en sortant de la maison, elle m'a fait un cadeau extraordinaire. Elle m'a offert une graine mystérieuse d'Afrique qu'il ne fallait surtout pas semer. Elle ressemblait à un petit pois vert séché qui ne semblait pas du tout extraordinaire. Et pourtant...

Félina m'avait dit en secret que c'était une graine très très vieille qui venait de ses ancêtres. Elle avait des pouvoirs magiques. Si on la serrait bien fort dans sa main en imaginant

des choses gentilles, elles se réalisaient toujours. Quand les choses
heureuses ne se réalisaient plus, ça
voulait dire que la graine avait envie
de changer de propriétaire et qu'il
fallait l'offrir à sa meilleure amie.

— Oh, mais c'est très gentil, ai-je
dit à Félina. Alors, je suis ta
meilleure amie ?

— Bien sûr. Tu m'as invitée chez
toi. Et tu ne me connais presque pas.
Tu es ma meilleure amie à Wolfville.

— Et toi, tu es ma meilleure amie... *camerounoise* ?

Je crois que ce n'est pas le bon mot parce qu'elle a rigolé gentiment quand j'ai dit ça.

La semaine suivante, elle n'est pas venue à l'école. J'étais très triste. Même sa chanson ne pouvait pas me consoler. Alors, j'ai serré très fort

la graine d'Afrique dans le creux de ma main en imaginant le retour de Félina à l'école. Mais elle n'est pas revenue. Ses parents avaient déménagé très vite, car ils avaient trouvé du travail en Colombie-Britannique.

La Colombie-Britannique, j'ai regardé sur une carte, c'est à l'autre bout du monde, c'est-à-dire à cinq mille kilomètres d'ici. Alors, j'ai pensé ne jamais revoir Félina. Jamais, jamais, jamais. Et j'ai oublié la graine dans la petite poche de ma salopette rose.

C'était l'époque autour de la naissance d'Alyssa, et papa courait dans tous les sens entre l'hôpital, la maison, mon école et la sienne.

Lily, c'est le surnom d'Alyssa, est née le treize septembre, presque comme moi. Dans la famille, on est tous nés en septembre. Même mon chat Jordy.

Cette semaine-là, papa a oublié de sortir le linge humide de la machine à laver.

2

Dans la machine
à laver

**Un soir, papa m'a en-
voyée dans la buan-
derie pour trouver**
Jordy. Il avait disparu
depuis trois jours sans toucher à sa
nourriture. Papa pensait qu'il avait
peut-être été enfermé là par accident.

Je suis descendue au sous-sol et
j'ai poussé la porte.

Ma première impression, c'est
que ça ne sentait pas bon du tout
dans la machine. Alors, j'ai pris mon

courage à deux mains, je me suis bouché le nez et j'ai ouvert. Et là, dans cette bouillie de linge moisi, tout petit, tout petit, pas plus haut qu'une salade, il y avait un arbre.

Une sorte d'arbre à l'écorce gris-vert qui avait poussé au milieu des chaussettes. Exactement au-dessus de ma salopette rose !

— Papa ! Il y a un arbre qui a poussé dans la machine !

— T'es sûre ? ! Ça m'étonnerait beaucoup.

— Oui ! Viens voir ! Viens voir !

Il est descendu, et quand il s'est rendu compte que je ne mentais pas, qu'il y avait bien un arbre gris-vert dans la machine, il m'a regardée bêtement en ouvrant grand la bouche,

comme lorsqu'il fait le singe pour me faire rire. Puis il a fermé la bouche, ses idées sont revenues et il a dit :

— Je vais l'arracher.

Je n'ai pas eu le temps de lui dire non. Il était déjà à genoux sur la machine et il essayait d'arracher

l'arbre. Mais les racines étaient trop nombreuses et trop profondes. L'arbre résistait. Alors, il a eu une deuxième idée.

— Je vais le couper !

Mais j'ai fondu en larmes. Je ne voulais pas qu'il coupe mon arbre. J'étais la première à l'avoir vu, donc il était à moi ! Il n'avait pas le droit de le couper. J'ai pleuré très fort. Il a dit :

— Mais comment va-t-on laver le linge ? Et en plus, on est quatre maintenant. On a vraiment besoin de la machine.

Parfois, papa n'est pas très malin. Il faut tout lui expliquer.

— C'est très simple. Si tu ne peux pas utiliser celle-là, achètes-en une autre.

Papa a encore ouvert la bouche. Après l'avoir refermée, il a dit :

— D'accord. Je vais en discuter avec maman et si elle est d'accord, on va en acheter une autre.

Pour le consoler, j'ai dit :

— Ça fait trois ans qu'on l'a. Elle est vieille, maintenant.

— Vieille ! ? a-t-il demandé, surpris.

— Ben oui. Regarde. La peinture s'en va.

J'ai dû le convaincre parce que le lendemain, on avait une nouvelle machine à laver, juste à côté de la vieille avec l'arbre dedans.

3

Un baobab
à chaussettes

En Nouvelle-Écosse, l'automne est très très beau. C'est ma saison préférée. Les érables peignent soudain leurs feuilles en rouge et or et, pendant un mois, toutes les teintes du jaune à l'ocre semblent scintiller tout autour des maisons. Un véritable feu d'artifice.

C'est aussi la saison où mon arbre a révélé sa vraie nature.

Il a poussé très vite jusqu'au plafond et un matin, j'ai vu une petite chaussette verte et propre pendre d'une branche. Et puis une deuxième.

Et une troisième. Le cadeau de Félina
était une graine de baobab à chaussettes !

Toutes sortes de chaussettes : des bleues, des rouges, des rayées, des unies, des socquettes, des bas de laine, des chaussettes de bébé, de sport, d'intérieur, d'extérieur, du dimanche et du lundi. Un vrai

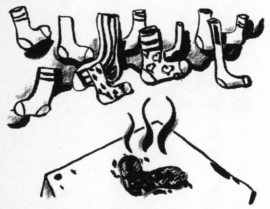

magasin. C'était très joli. Mais si on voulait en cueillir une, elle se fanait, devenait petite et sèche et mon cœur se serrait.

Alors, papa a commencé à s'inquiéter.

— Tu te rends compte ? m'a-t-il dit. Ça n'existe pas, les baobabs à... chaussettes. Je n'ai jamais vu ça de ma vie ! C'est la première fois.

— Ma petite sœur n'existait pas, et maintenant, elle est là. C'est pareil, ai-je ajouté pour le rassurer.

— Mais non, ce n'est pas pareil. On ne peut pas comparer un arbre à chaussettes et ta petite sœur.

Et puis, il m'a fait promettre de ne parler de l'arbre à personne. Il a dit que les gens pourraient trouver ça bizarre. Si les journaux l'apprenaient,

on risquait de ne plus pouvoir vendre la maison après. On risquait même d'être obligés de la faire détruire.

Je lui ai dit que notre arbre à chaussettes n'était pas un fantôme et qu'il était très joli, comme un vrai arbre avec des feuilles de toutes les couleurs.

— Comme dehors, ai-je ajouté. Regarde.

Et j'ai tiré les rideaux. Il les a refermés aussitôt. Il avait peur.

Une nuit d'octobre, je crois qu'une socquette blanche est tombée dans l'autre machine à laver. Et au matin, un deuxième baobab avait poussé.

Cette fois-là, papa a été moins surpris. Je voyais qu'il commençait à s'habituer.

Il n'a pas acheté de troisième machine. Il a emprunté celle de grand-mère. Elle habite à Wolfville, juste à côté de l'école. Papa lui a expliqué que la machine était cassée et qu'il n'avait plus assez d'argent pour une nouvelle, parce que, un bébé, ça coûte cher. Mais elle est très

très vieille, la machine de grand-mère. Il faut appuyer sur un bouton toutes les cinq minutes pour changer de programme. Si on oublie, ça prend des heures et des heures pour un seul lavage.

Bien sûr, papa a oublié.

Une semaine plus tard, un troisième arbre poussait dedans. La buanderie s'était transformée en véritable *chaussetteraie*.

Un jour, finalement, après être revenu tout maigre et tout sale, Jordy a élu domicile dans la *chaussetteraie*. Il dormait toujours dans une grosse chaussette verte. Dans la maison, Jordy semblait mieux comprendre les arbres que nous.

4

On court à la catastrophe

Papa s'inquiétait de plus en plus. Je le soupçonnais de vou-loir tronçonner la forêt du sous-sol parce que les racines de mes arbres à chaussettes étaient envahissantes. Maintenant, ce n'était plus trois petits arbres que nous avions, mais trente ! Oui, trente baobabs grands et petits occupaient tout l'espace. J'adorais y jouer à cache-cache avec Jordy, et il me tardait que Lily soit plus grande pour la promener dans cette jungle secrète.

Comme je l'avais promis à papa, je n'en avais parlé à personne. Pourtant, je mourais d'envie de le dire à toutes mes copines et d'organiser une gigantesque fête dans ma forêt d'arbres à chaussettes.

Papa, lui, s'inquiétait de plus en plus.

Comme il pleuvait beaucoup en ce mois d'octobre, papa, après avoir lavé le linge à la main dans la salle de bain, l'étendait partout dans le couloir, dans la cuisine et le salon. Mais un jour, maman lui a dit que ce n'était plus vivable ainsi. Que cette humidité était dangereuse pour Lily

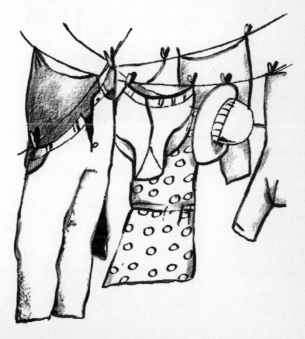

et qu'il pourrait peut-être laver et sécher le linge à la laverie automatique, à Wolfville.

Il a donc pris les gros sacs de linge sale et on est montés dans la voiture.

On a lavé le linge à la laverie automatique, à côté de l'école, mais aussi à côté de chez grand-mère, qui a ouvert tout grand la bouche en nous voyant sortir les bras chargés de linge sec et bien plié.

— Bonjour, mon Titi ! Bonjour, Faustine !

Faustine, c'est moi.

Grand-mère a toujours appelé papa « mon Titi ». C'est un drôle de surnom. Mais là, ça ne l'a pas fait sourire du tout. Il a sursauté et tout le linge est tombé par terre, dans les flaques d'eau boueuse. Il fallait tout recommencer.

— B'jour, m'man.

— Pourquoi laves-tu ton linge ici ? Elle ne marche plus, ma machine ?

— Oh, si, si, a menti papa en ramassant le linge mouillé.

Papa ment mal. On entend bien quand ses oui veulent dire non. Et grand-mère le connaît bien.

— Bon, j'te laisse, m'man, a coupé net papa, sans aucune explication.

— D'accord. D'accord. À dimanche.

— Dimanche ? ! Mais dimanche, tu ne devais pas visiter Annapolis Royal avec tes amis de la chorale ?

— Non. C'est annulé et ta charmante épouse m'a invitée.

— Noreen t'a invitée ? !

— Ça ne semble pas te réjouir, mon Titi.

— Oh, si, si ! Tu vas voir, Lily change vite. Elle sourit à tout le monde.

— Oui, je sais. Bon, à dimanche.

— Au revoir, m'man.

— Au revoir, grand-mère. À dimanche.

— Si elle vient dimanche, m'a dit papa dans la voiture, complètement

paniqué, elle va découvrir notre secret. J'en suis certain. On ne peut rien lui cacher. On court à la catastrophe, Titine.

— Pourquoi à la catastrophe, ai-je demandé?

— Parce que, après, elle va le dire à toute la ville pour se rendre intéressante et les ennuis vont commencer.

Les gens vont vouloir visiter notre étrange *chaussetteraie*. La police des arbres va venir faire une enquête, les journaux vont en parler partout et mes élèves vont m'appeler monsieur Chaussette ! C'est affreux !

— « Monsieur Chaussette », c'est plus drôle que « mon Titi », tu ne trouves pas ? Et puis moi, j'adore quand les gens viennent à la maison. Pas toi ?

Il n'a pas répondu.

Halloween

À table, papa a dit :
— Il faut trouver
une solution avant
dimanche parce que
ma mère va découvrir notre forêt
secrète, j'en suis sûr et certain.

Alors, j'ai eu une idée.

— On n'a pas encore décoré la
maison pour l'Halloween.

— Non, a dit papa, croyant que
c'était un reproche.

D'habitude, on s'amuse comme
des fous à faire des bonshommes-

citrouilles et à les disposer partout
dans le jardin. Mais cette année, avec
bébé et le linge, on n'a pas eu le
temps.

— Mais j'ai une bonne idée.

Maman a tout de suite compris.
Elle a dit :

— Tu veux dire qu'on va planter
les machines dehors et que les
arbres à chaussettes seront nos
décorations d'Halloween ? C'est ça ?

— Oui.

Et c'est ce qu'on a fait.

Toute la nuit, papa a creusé trois grands trous et des tranchées dans la pelouse. Puis il a sorti lentement les trois machines devant la maison

et au petit matin, je l'ai aidé à planter les arbres. On a installé des bonshommes-citrouilles à droite et à

gauche, et lorsque le soleil s'est levé,
on a applaudi devant le spectacle.

C'était si beau et si original ! S'il y
avait eu un concours de décoration
de maisons, on l'aurait certainement
gagné.

Et puis, le samedi, il y a eu l'Halloween.

L'après-midi, le ciel s'est couvert. Il a fait chaud. Trop chaud pour une

fin d'octobre, a dit maman. Et le tonnerre a grondé. Il y a eu du vent. Beaucoup de pluie. Des éclairs. J'ai regardé par la fenêtre. Alors, une

boule de feu s'est abattue dans le jardin. Mes arbres à chaussettes ont brûlé et, dans un grand tourbillon, ils se sont envolés dans le ciel noir.

Un jour, si je retrouve Félina, il faudra que je lui raconte cette histoire !

Table des matières

LE PLUS DE
Plus

Réalisation :
Myriam Legault

Une idée de
Jean-Bernard Jobin
et Alfred Ouellet

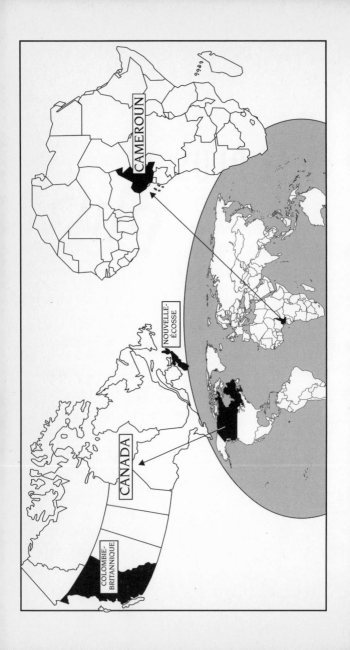

CAMEROUN

CANADA

NOUVELLE-ÉCOSSE

COLOMBIE-BRITANNIQUE

Avant la lecture

Les lieux de l'histoire

Dans l'histoire que tu vas lire, l'auteur Alain Raimbault parle de deux pays : le Canada et le Cameroun.

1. Le Canada est un pays d'Amérique. Sais-tu dans quel continent se trouve le Cameroun ?
   a. Asie
   b. Europe
   c. Amérique
   d. Afrique

2. La Nouvelle-Écosse se trouve sur le bord de l'océan Atlantique alors que la Colombie-Britannique se trouve du côté de l'océan Pacifique. Quelle distance sépare ces deux provinces du Canada ?
   a. environ 50 km
   b. environ 5 000 km
   c. environ 5 km
   d. environ 500 km

Une image vaut mille mots

Les mots en caractères gras dans les phrases suivantes correspondent à un dessin. Trouve l'image qui illustre chacun des mots.

1. Un de mes **ancêtres**, mon grand-père né en Normandie, s'est un jour installé à Grand-Pré en Nouvelle-Écosse.

2. Les **socquettes** arrivent au-dessus de la cheville et les chaussettes au-dessous du genou. Au Québec, on parle souvent de « bas » pour décrire le vêtement souple qui couvre le pied ou la jambe.

3. Dans notre appartement, la machine à laver et la sécheuse étaient dans la salle de bains ; nous n'avions pas de **buanderie**. Au Québec, on utilise souvent l'expression « salle de lavage » à la place du mot buanderie.

4. J'aime porter ma **salopette** ; je trouve ce vêtement très pratique et confortable.

Lequel est le baobab ?

Tu vas bientôt découvrir que l'arbre à chaussettes n'est ni un sapin, ni un chêne mais un baobab.

Un baobab est un arbre qui pousse en Afrique, à Madagascar et en Australie. Ses caractéristiques sont :
   un tronc lisse et très, très gros ;
   des fruits comestibles ;
   une écorce utilisée pour faire des cordes ;
   c'est un symbole de force, de sagesse et
   de longévité.

En regardant ces trois illustrations, peux-tu trouver quel est l'arbre à chaussettes décrit dans le texte ?

1.

2.

3.

Au fil de la lecture

Comme un petit pois

Tu viens de lire le premier chapitre. Complète les phrases suivantes en choisissant un mot au bas de la page.

1. Au Cameroun on peut voir des lions et des…
2. On appelle… une fille qui vient du Cameroun.
3. La chanson offerte par Félina n'est ni en français, ni en anglais, elle est en langue…
4. Félina a offert une graine mystérieuse qu'il ne faut pas…
5. Selon la tradition africaine, il faut… la graine mystérieuse à sa meilleure amie.
6. Faustine trouve la chanson…, même si elle ne comprend pas les mots.

a. semer
b. zèbres
c. peule
d. offrir
e. amusante
f. camerounaise

Le mot clé

Le récit de L'*Arbre à chaussettes* est divisé en cinq chapitres. Trouve pour chacun d'eux le mot clé qui le résume le mieux. C'est facile, tu n'as qu'à faire les charades pour le trouver.

Chapitre 1 : Comme un petit pois vert séché
Mon premier est la première syllabe du nom du pays de Faustine.
Mon deuxième est une partie du corps humain située derrière le ventre.
Mon tout est quelque chose que tout le monde aime recevoir.

Chapitre 2 : Dans la machine à laver
La peinture, la musique, la littérature font partie de mon premier.
Mon deuxième est le bruit que l'on fait avec la bouche quand il fait froid.
Mon tout pousse dans les jardins, les parcs et les forêts.

Chapitre 3 : Un baobab à chaussettes
Mon premier est un adjectif possessif féminin singulier.
Mon deuxième est un très grand pays d'Asie.
Mon tout est très utile pour laver le linge.

Chapitre 4 : On court à la catastrophe

Mon premier veut dire mademoiselle en anglais.
Mon deuxième est le nom de notre planète.
Mon tout est quelque chose qu'il faut garder
secret.

Chapitre 5 : Halloween

Mon premier est un petit cube pour jouer dont
chaque face porte de 1 à 6 points.
Mon deuxième est l'ensemble que forment
la tête, le tronc, les bras et les jambes.
Mon troisième est une quantité de quelque
chose à boire ou à manger pour une journée.
Mon tout est ce qu'on installe sur l'arbre de
Noël.

L'arbre aux personnages

Associe le nom de chaque personnage (que tu trouves dans une chaussette) à la description qui lui correspond.

1. la narratrice de l'histoire
2. le bébé
3. le papa
4. la maman
5. la dame qui prête sa machine à laver
6. le chat
7. l'amie camerounaise

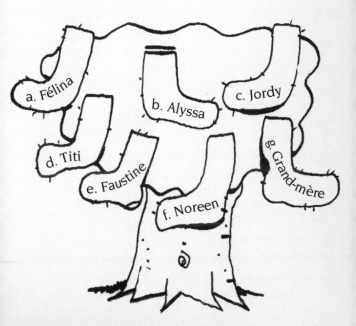

Le lieu de vie de Faustine et sa famille

Voici quelques informations. Elles sont toutes vraies.
Lesquelles retrouve-t-on dans le texte ?

1. Le Bassin des Mines est situé au nord-est de la baie de Fundy.
2. À Grand-Pré, l'église est devenue un musée.
3. Les habitants francophones de Grand-Pré s'appellent des Acadiens.
4. Le Bassin des Mines se remplit et se vide très rapidement à cause de la marée.
5. Annapolis Royal est un fort qui a été construit du temps de Samuel de Champlain. Aujourd'hui on trouve de magnifiques jardins à visiter dans ce lieu historique.

Une question d'expressions

Les expressions suivantes sont utilisées dans le texte de L'*Arbre à chaussettes*. Quel en est le sens ?

1. Après avoir reçu son résultat au test d'anglais, Mathilde **a fondu en larmes**.
   a. Mathilde a eu très chaud.
   b. Mathilde a mangé de la fondue.
   c. Mathilde a pleuré.

2. J'ai **pris mon courage à deux mains** pour aller jusqu'au sommet de la montagne.
   a. Même si j'étais très fatiguée, j'ai continué à escalader la montagne.
   b. J'ai monté la montagne sur deux mains.
   c. J'ai donné la main droite au guide et la main gauche à mon copain pour monter jusqu'au bout.

3. Le sable du désert est souvent d'une belle **couleur ocre**.
   a. Il est d'un beau bleu nuit.
   b. Il est d'une couleur verdâtre.
   c. Il est brun jaune ou orangé.

4. Notre voisin joue de la trompette à 5h du matin ; **ce n'est pas vivable**.
   a. Ce n'est pas grave.
   b. Ce n'est pas supportable.
   c. Ce n'est pas mélodieux.

Après la lecture

Des mots inventés

Un néologisme est un mot nouveau ou inventé.
En grec, le préfixe « néo » signifie nouveau. Le
suffixe « logisme » signifie discours ou mot.
Néo + logisme = nouveau mot.

Faustine sait qu'une plantation de pommiers
est une **pommeraie**, qu'un jardin de rosiers
est une **roseraie**. Elle a donc créé un néologisme en parlant de **chaussetteraie** pour
décrire son sous-sol rempli de baobabs à
chaussettes.

Regarde bien chacun des trois arbres ci-
dessous et invente un néologisme en utilisant
le même procédé que Faustine.

1. Une T…

2. Une C…

3. Une T…

66

Société de consommation

Dans l'histoire que tu viens de lire, l'héroïne suggère à son père d'acheter une nouvelle machine à laver, car après tout elle est déjà vieille : elle a trois ans ! En réalité, une machine à laver vaut la peine d'être réparée sinon on pollue inutilement. Voici cinq énoncés portant sur l'environnement, ils sont tous vrais sauf un. Trouve l'erreur.

1. Prendre une douche rapide consomme moins d'eau que de prendre un bain.

2. Planter un arbre contribue à purifier l'air.

3. Recycler une tonne de vieux papiers permet de sauver 18 arbres.

4. Une famille nord-américaine produit autant de déchets domestiques qu'une famille africaine.

5. En hiver, laisser entrer le soleil dans la maison le jour et fermer les rideaux le soir permet d'économiser de l'énergie.

Le Petit Prince et le Baobab

Alain Raimbault, l'auteur de L'*Arbre à chaussettes*, aurait pu choisir de parler de sapin à chaussettes, de bouleau à chaussettes, d'érable à chaussettes ou de n'importe quelle autre sorte d'arbre à chaussettes. Il a probablement choisi le baobab parce que cet arbre qui pousse en Afrique est un arbre mythique et qu'on en parle dans le livre le plus populaire du monde : Le *Petit Prince*.

L'auteur de ce livre s'appelle Antoine de Saint-Exupéry (1900-1944). Il a été pilote d'avion, mécanicien, journaliste mais surtout l'un des écrivains français les plus lus à travers le monde. Le *Petit Prince* a été conçu comme un conte illustré pour les petits. Dans ce récit, un enfant apprivoise une rose et doit, pour la protéger, se battre contre les racines envahissantes de baobabs géants.

Solutions

Avant la lecture

Les lieux de l'histoire
1. d ; 2. b.

Une image vaut mille mots
1. a ; 2. d ; 3. c ; 4. b.

Lequel est le baobab ?
2.

Au fil de la lecture

Comme un petit pois
1. b ; 2. f ; 3. c ; 4. a ; 5. d ; 6. e.

Le mot clé
1. cadeau ; 2. arbre ; 3. machine ; 4. mystère ; 5. décoration.

L'arbre aux personnages
1. e ; 2. b ; 3. d ; 4. f ; 5. g ; 6. c ; 7. a.

Le lieu de vie de Faustine et sa famille
2 et 4.

Une question d'expression
1. c ; 2. a ; 3. c ; 4. b.

Après la lecture

Des mots inventés
1. tuqueraie ; 2. carotteraie ; 3. téléphoneraie.

Société de consommation
4. En moyenne, une famille nord-américaine produit beaucoup plus de déchets domestiques qu'une famille africaine.

Dans la même collection

Premier niveau

* Texte également enregistré sur cassette.